ESTE LIBRO PERTENECE A:

Para
Roland
y Fi...

y
Imogen...

y
Giles.

Título original:
Hubert Horatio Bartle Bobton-Trent
Adaptación: Miguel Ángel Mendo
Fotocomposición: Editor Service, S.L.

Editado por acuerdo con Hodder Children's Books

Copyright © 2004 Lauren Child

Lauren Child quiere ser reconocida como autora e
ilustradora de este libro de acuerdo con el Copyright,
Designs and Patents Act de 1988.

El texto de este libro ha sido diseñado por
Lauren Child y David Mackintosh

Primera edición en legua
castellana para todo el mundo:
© 2005 Ediciones Serres, S. L.
Muntaner, 391 – 08021 – Barcelona
www.edicioneserres.com

ISBN: 84-8488-225-X

HUMBERTO
HORACIO
HERMINIO
BOBTON-TRENT

LAUREN CHILD

ediciones **serres**

Los señores Bobton-Trent eran escandalosamente, pero lo que se dice **escandalosamente** ricos.

Tenían una casa enorme y lujosa en Londres, una casa ostentosamente elegante en Nueva York y una preciosísima casa de mármol en Milán. Viajaban constantemente de acá para allá, a cualquier sitio donde se pudiese viajar. Se compraban todo lo que les pasaba por la cabeza: alfombras absurdas, pantallas planas y extraplanas, cojines de colorines, pantalones de pinzas, pijamas de perlé, primorosas pinturas postmodernas, pequeñísimos perritos pequineses, plantas con pinchos y piscinas pintadas de color pastel.

Salían a cenar casi todas las noches, con dos, con doce, con ciento doce acompañantes. Cenaban con el presidente, con el primer ministro y con la reina. Sencillamente, conocían a todo el que era alguien. Pero al final acababan hartos de las mismas caras y de los mismos lugares y siempre estaban deseando conocer a alguien nuevo.

Por lo que decidieron tener un hijo.

Los señores Bobton-Trent estaban encantadísimos con él. Le pusieron de nombre **Humberto Horacio Herminio Bobton-Trent**, aunque la mayoría de la gente le llamaba **Humberto Horacio Bobton-Trent** para abreviar, o **Humberto Horacio** para súper-abreviar.

Sus padres le llamaban simplemente *H* porque no lograban acordarse nunca de todos sus nombres.

Recordar cosas no era uno de los puntos fuertes
de los Bobton-Trent.

UN día, cuando Humberto se sintió lo suficientemente mayor para decirle a sus padres que no le gustaba nada que le llamasen **H**, les telefoneó al salón, donde ofrecían un cóctel a los Elfington-Leary.

Y fue así cómo todos comprendieron que Humberto, de un añito de edad, aunque no supiese hablar, sí sabía comunicarse por teléfono.

CUANDO Humberto tenía dos años, la señora Bobton-Trent, buscando la toalla, dejó caer encima de él un ejemplar de *El Chismorreo Semanal*, su revista del corazón favorita. Humberto, al despertarse, se leyó la revista dos veces de atrás a delante y una de delante a atrás.

Y así fue como Humberto descubrió
que era un magnífico lector.

UN año después, los Bobton-Trent estaban enfrascados en una emocionante partida de dominó con los Davenport-Martins, sus buenos amigos y únicos vecinos de la única casa cercana, cuando Humberto Horacio se cayó en la piscina.

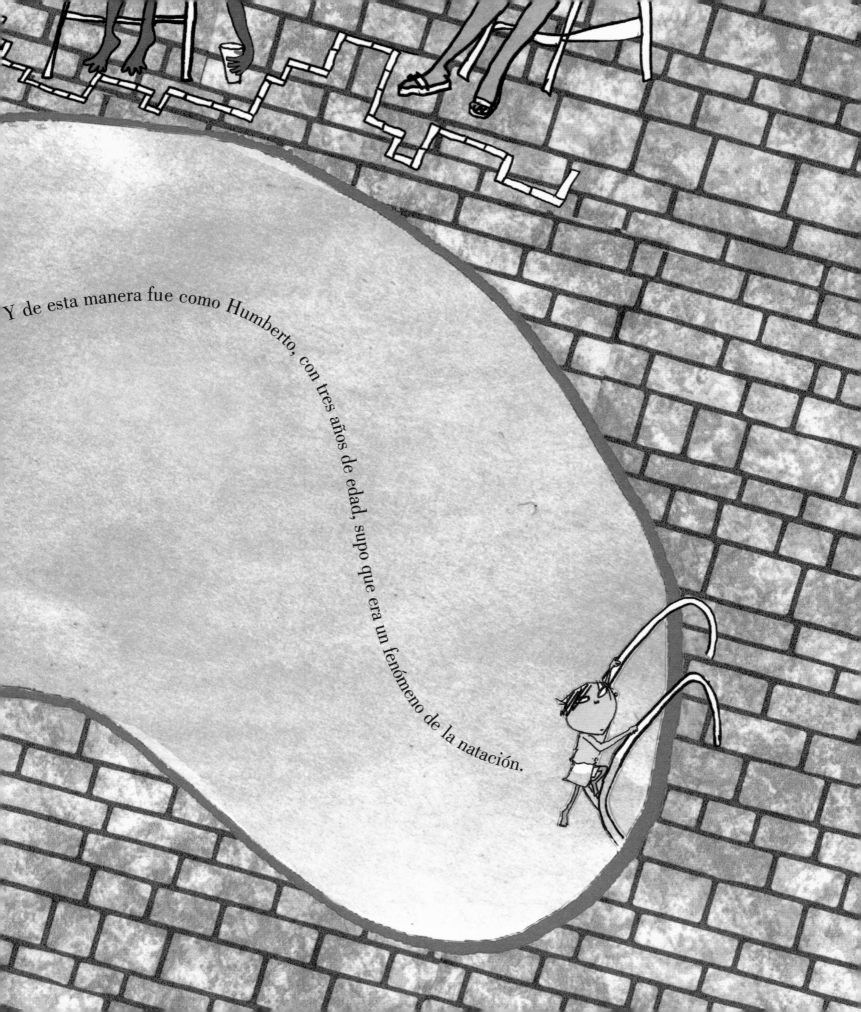

Y de esta manera fue como Humberto, con tres años de edad, supo que era un fenómeno de la natación.

DE hecho, se podía decir que Humberto
Horacio Bobton-Trent era un genio innato
para casi todo (con las notables excepciones
de repostería y arreglo floral).

Con estos dos
temas, por
cierto, tuvo
que aplicarse
especialmente.

A **HUMBERTO**
le gustaba tanto la
compañía de sus padres…

…que cada noche antes de
acostarse se tomaba una taza de cacao con ellos,
para lo cual tenía que bajar tres tramos de escalera,
girar a la izquierda ante la estatua de Madame Marparcello…

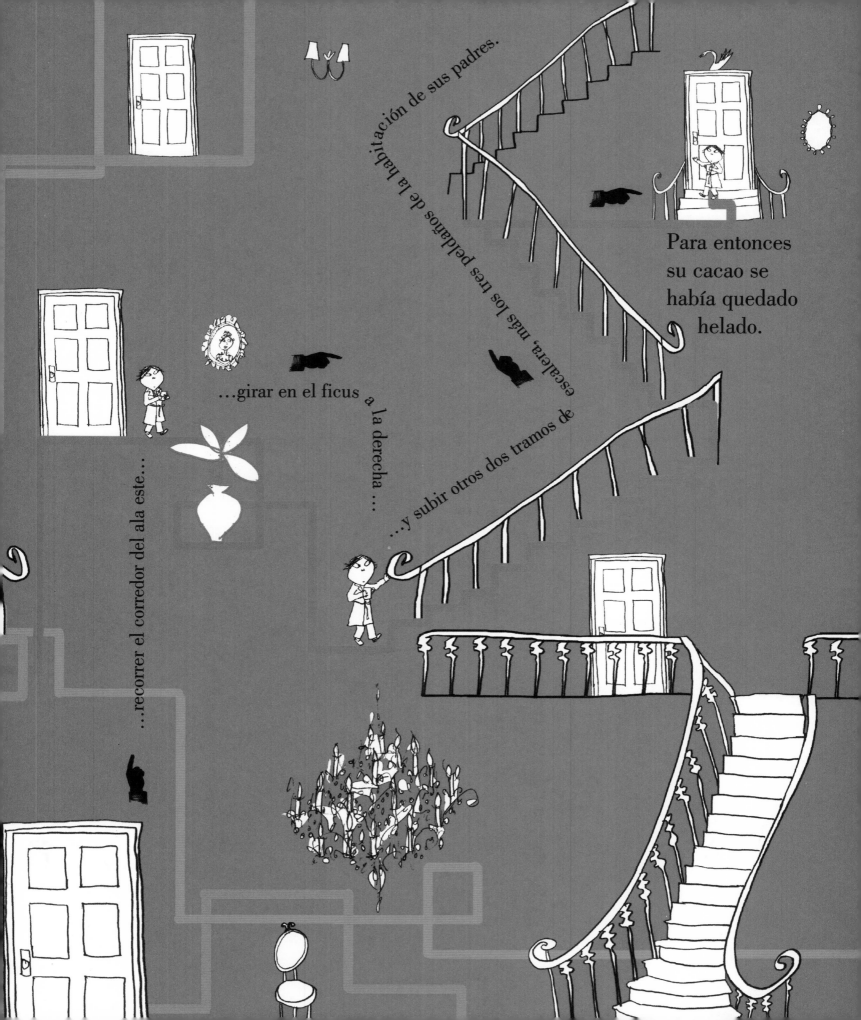

...girar en el ficus a la derecha ...

...recorrer el corredor del ala este...

...y subir otros dos tramos de escalera, más los tres peldaños de la habitación de sus padres.

Para entonces su cacao se había quedado helado.

MUY a menudo se encontraba a sus padres en pijama jugando al Monopoly.

Se tomaban el juego muy en serio y lo más normal era que jugasen con dinero de verdad.

Todos los Bobton-Trent eran fanáticos jugadores y asiduos bebedores de cacao.

EN la mansión de al lado —pared con pared—
vivían los Bernard (pronúnciese Ber-Nard,
con énfasis en el Nard).

también tenían un hijo niño-prodigio.

Al igual que los Bobton-Trent, los Bernard

Humberto Horacio, de tal manera que sería difícil por

Rodrigo Archibaldo tercero era exactamente igual de listo que

Se llamaba Rodrigo Archibaldo tercero y era el mejor amigo de Humberto y un entusiasta jugador de ping-pong.

...cir imposible, ver en todo el mundo a dos personas tan inteligentes jugando juntas al ping-pong.

A HUMBERTO y a Rodrigo Archibaldo tercero también
les encantaba pasar las horas haciendo experimentos
y descubriendo fórmulas en su laboratorio privado.

A veces, solo por divertirse, se ponían a multiplicar
fracciones raras y a dividirlas luego por la raíz cuadrada
de algún guarismo imposible. Otras veces se
desafiaban uno a otro con preguntas
dificilísimas en algún dialecto
japonés ya casi olvidado.

Siempre que no estaban haciendo
esto, estaban jugando al ping-pong.

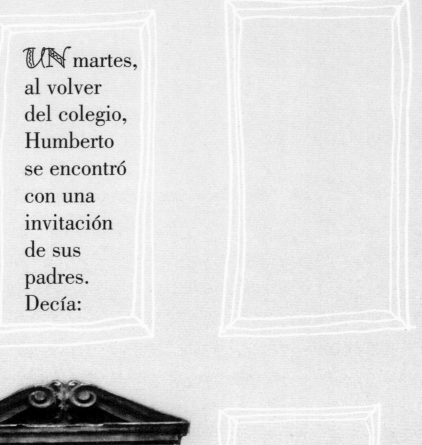

UN martes, al volver del colegio, Humberto se encontró con una invitación de sus padres. Decía:

Queridísimo H:
Estamos celebrando una fiesta impresionante a la que hemos invitado a todas las personas que hemos conocido alguna vez, y a algunas que no hemos conocido todavía. Reúnete con nosotros en el salón de baile, por favor.
Con cariño, tus padres.

A Humberto le gustaban mucho estas fiestas, ya que era un formidable bailarín.

Pero algo muy extraño sucedió:
a mitad de la fiesta
se terminaron los canapés
de ensaladilla.

Lo
cual
era
rarísimo:
a los
padres

de
Humberto
nunca se les
terminaba
nada.

EL siguiente extraño suceso se produjo una noche en que Humberto y Rodrigo Archibaldo observaban cráteres lunares desde el tejado. Vieron a Saturnino, el mayordomo, dándole al lechero un retrato de incalculable valor del tatara-tatarabuelo del señor Bobton-Trent a cambio de dos botellas de leche.

DÍAS después los Bobton-Trent daban una cena a los Butterworth-Trotter y esperaban con relativa ansiedad a que Marta, la doncella, sirviera los escalopes salteados. Tras aproximadamente una hora y veintidós minutos sin que aparecieran los escalopes, el señor Bobton-Trent dijo: "Por el amor de Dios, ¿alguien sabe dónde puede haberse metido Marta?"

Humberto
Horacio
se deslizó
silenciosamente
de su silla
y fue a
investigar.

AL llegar a la cocina se encontró con Saturnino comiendo quesitos en porciones con pan duro.

Saturnino le explicó que, por desgracia, el chef de cocina se había largado porque la despensa estaba vacía, que Marta y el resto del servicio se habían marchado por la sencilla razón de que llevaban más de dos años sin recibir su paga, y que él mismo no tendría más remedio que despedirse si a las nueve de la mañana del día siguiente no tenía su sueldo.

El problema más urgente: dar de comer a los invitados, lo solucionó de inmediato Humberto, que era un chef súper-creativo, preparando tostadas de queso para cuatro.

Delicioso.

Tras servir la comida a sus padres y a los invitados, se fue a su cuarto a ver cuánto dinero tenía guardado en su cerdito-hucha.

RESULTÓ que no había nada más que un clip y una pastilla para la tos bastante asquerosa. Humberto se percató de que la economía de los Bobton-Trent estaba fatal.

Es decir, la ruina total.

INTELLECT

Stratego

MONOPOLY

Operación

Dragones y marcianos

INTELIGENTEMENTE, Humberto se las ingenió para venderle por teléfono a su amigo Teodoro Snidge-Combe una pala de ping-pong ligeramente rota, una lámpara de mesilla feísima y algunos ejemplares viejos de *El Chismorreo Semanal*, lo que le proporcionó el suficiente dinero en metálico para pagar los salarios atrasados de Saturnino.

AQUELLA noche,
incapaz de dormirse,
Humberto telefoneó
a su mejor amigo
y compañero
de álgebra para
pedirle asesoramiento
financiero.

Tras unos 5,33 minutos de cálculos, Rodrigo Archibaldo le anunció que la única alternativa a la ruina total era la venta de la casa de los Bobton-Trent. **Humberto Horacio se quedó horrorizado.**

Sus padres adoraban su hermosa mansión. ¿Qué sería de ellos cuando se enteraran de que ya no eran escandalosamente, pero lo que se dice **escandalosamente** ricos?

¿Qué pasaría con Saturnino?

Y, lo peor de todo, ¿dónde pondrían la mesa de ping-pong?

VARIOS días después se les ocurrió
una brillante idea.

Decidieron apuntar

a los señores Bobton-Trent

a varios concursos de juegos.

Los padres de Humberto era campeones

de damas chinas

y podían ganar a cualquiera al parchís, aunque

lo que mejor se les daba era el Trivial.

Lo

ganaron

todo.

Lo normal era que los Bobton-Trent lo celebrasen...

...invitando a cenar a todos los demás concursantes.

FUE a Rodrigo Archibaldo al que se le ocurrió la segunda brillante idea. Con la ayuda de Saturnino, los niños se pusieron a vender al público entradas para visitar la casa de los Bobton-Trent.

MESA GEORGIANA DE TRESILLO COJA CON UNA RELIQUIA DE LA FAMILIA BOBTON-TRENT. VALOR: PURAMENTE SENTIMENTAL.

RELOJ DE CUCO ROCOCÓ. ORIGEN: AUSTRIA. VALOR: QUIÉN SABE.

Los padres de Humberto se quedaron atónitos cuando, de repente, su partida de

BUSTO DE MÁRMOL ITALIANO DE MADAM MARCELLO. ORIGEN: PISA. VALOR: ¡MAMMA MIA!

JARRÓN ALTÍSIMO, LIGERAMENTE DESPORTILLADO. (DE VALOR INCALCULABLE SIN DESPORTILLAR.)

dados se vio interrumpida por la llegada de un montón de curiosos que no paraba de husmearlo todo.

JARRA AGUJEREADA. ORIGEN: SUIZA.

RELOJ DEL ABUELO. ORIGEN: ABUELO DE HUMBERTO, EN PERFECTAS CONDICIONES EXCEPTO PORQUE CHIRRÍA (EL ABUELO NO, EL RELOJ).

MESA DE JUGAR A LOS DADOS GEORGIANA. ALTURA: CINCO MANOS.

FICUS. ORIGEN: CALCUTA. VALOR: UNOS MIL LÁPICES BORRADORES.

POR DESGRACIA,
los Bobton-Trent tuvieron el
inesperado honor de ser invitados
a un té. Tanto honor fue que, claro, la
semana siguiente tuvieron que invitar
ellos a su vez a sus anfitriones, a los que
se añadieron unos cientos de personas
más. Y ya se sabe que a un té para
varios cientos de invitados siempre
suelen acudir unos cuantos cientos más.

Antes de que Humberto y Rodrigo
pudiesen darse cuenta, todos los
beneficios de la venta de entradas
se habían evaporado.

Parecía que no
iba a quedar
más que una
solución.

CON gran dolor del corazón, Humberto Horacio le pidió a Saturnino que les llevase a él y a Rodrigo Archibaldo a ver a su agente inmobiliario.

Tras unos segundos de infarto, el agente dijo que podía haber, tal vez, un piso a cuya renta los Bobton-Trent podrían hacer frente.

Estaba en el **Barrio de Las Filigranas**. Con gran pesar, Humberto regresó a casa a darle la mala noticia a sus padres.

Los SEÑORES Bobton-Trent estaban encantados de poder contar siempre con alguien para jugar al Continental; además, el señor Bobton-Trent inició entonces su carrera como recepcionista, una actividad perfecta para él, dadas sus altas habilidades sociales, y Saturnino mantuvo su trabajo de mayordomo, prestando ahora servicio a todos los vecinos.

Humberto y Rodrigo Archibaldo tercero encontraron un sitio perfecto para montar la mesa de ping-pong. Los padres de Humberto exclamaron: "**¡Humberto Horacio Herminio Bobton-Trent**, eres un genio por habernos traído aquí! ¡Nunca habíamos sido tan felices!"

Y Humberto comprendió que ser escandalosamente, pero lo que se dice escandalosamente ricos, no era tan importante para sus padres como parecía.

Y, desde entonces, la taza de cacao de Humberto Horacio aún está humeante cuando va a la habitación de sus padres a darles las buenas noches.

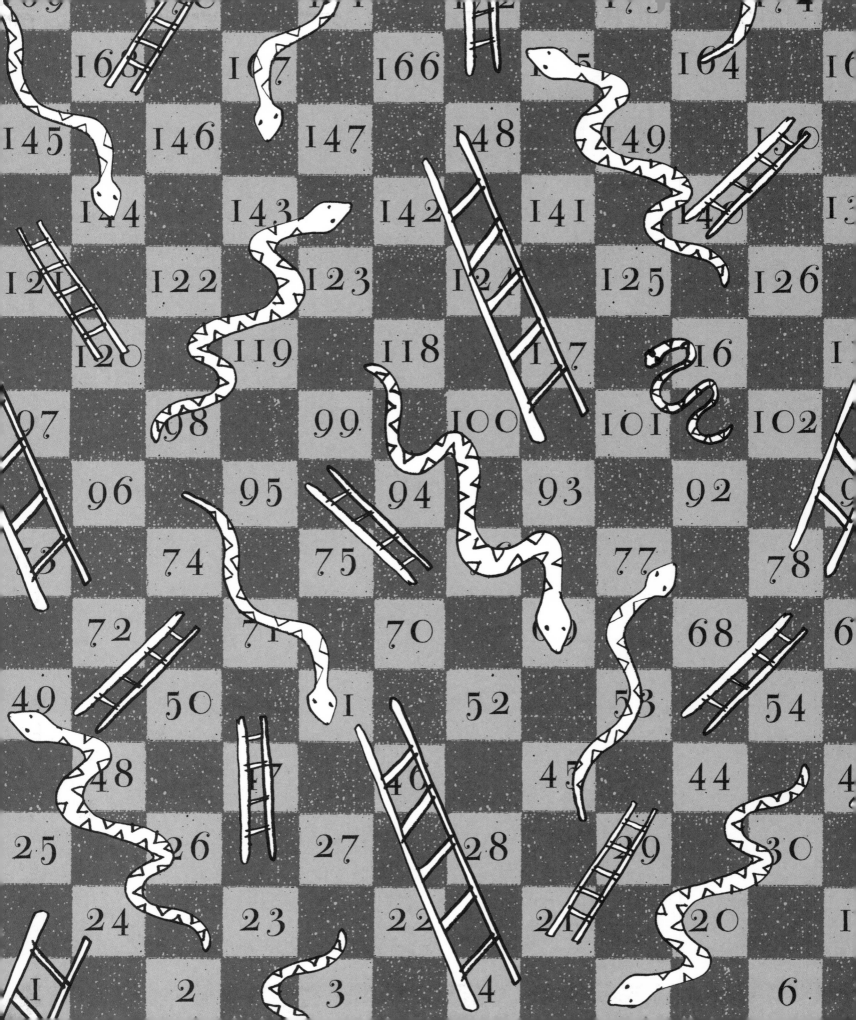